La princesse dans un sac

Robert Munsch   Michael Martchenko

Édition spéciale du **25e** anniversaire
Comprend le conte original

L'histoire du livre

Conçue par les rédacteurs d'Annick Press, avec Sarah Dann

Éditions **SCHOLASTIC**

Conçu par les rédacteurs d'Annick Press, avec Sarah Dann.
Conception graphique de la couverture et de l'intérieur : Sheryl Shapiro
Photo de la quatrième de couverture : Pete Paterson

Catalogage avant publication de Bibliothèque et Archives Canada

Dann, Sarah, 1970-
La princesse dans un sac : l'histoire du livre / Sarah Dann.
– Éd. spéciale du 25e anniversaire.

Publ. en collab. avec : Annick Press.
Traduction de : The Paper Bag Princess : the Story Behind the Story.
Comprend aussi le texte de l'histoire et les illustrations originales.
Pour enfants.
ISBN 0-439-94036-2

1. Munsch, Robert N., 1945- Princesse dans un sac. I. Titre.

PS8576.U575P3614 2005   jC813'.54   C2005-905658-4

Édition publiée par les Éditions Scholastic,
175 Hillmount Road, Markham (Ontario) L6C 1Z7,
avec la permission d'Annick Press Ltd.

6 5 4 3 2 1   Imprimé au Canada   05 06 07 08

Remerciements

L'éditeur remercie Tara Blue, Joel Kaiser, Cherry Karpyshin,
Norbert Kondracki, Marcy Meyer, Jill Pring, Mountain
Park Elementary School, Chase, Jonas, Cody, Kaylie,
Parker, Tyler, Jessica, Matthew, Aubrey et Elizabeth.

Pour Elizabeth
— R.M.

Pour Robert Munsch, Anne Millyard
et Rick Wilks qui m'ont donné
la chance de ma vie.
— M.M.

Table des matières

Bon anniversaire, princesse dans un sac

T'es-tu déjà demandé comment les maisons d'édition choisissent les histoires qu'elles vont publier? Chez Annick Press, nous croyons aux livres qui proposent une façon différente de voir les choses. Nous voulons aussi que les enfants aient envie de réentendre l'histoire que nous leur racontons. *La princesse dans un sac* possède ces qualités, et c'est ce qui nous a conquis la première fois que nous avons lu le manuscrit.

Nous nous rappelons très bien le jour où nous avons reçu ce conte par la poste. Nous avions déjà lu d'innombrables histoires de princesse, mais cette Élisabeth était plus intrépide et plus futée que toutes les princesses de notre connaissance. Après une courte discussion, nous n'avions qu'une seule question : quel était le numéro de téléphone de Robert Munsch? Nous voulions lui dire qu'Annick Press acceptait de publier son manuscrit!

Nous aurions aimé publier tout de suite *La princesse dans un sac*, mais les choses ne se passent pas comme ça. En réalité, la création d'un livre exige à peu près un an de travail. Nous devons faire des choix et prendre toutes sortes de décisions. Il faut notamment peaufiner l'histoire de façon à en rendre la lecture le plus agréable possible, et trouver un artiste pour dessiner les illustrations. Voici donc comment ce manuscrit reçu par la poste est devenu un livre, et comment ce livre est devenu un conte cher au cœur de millions de lecteurs.

Bon anniversaire, princesse dans un sac!

Rick Wilks et Anne W. Millyard

Anne Millyard et Rick Wilks, fondateurs d'Annick Press, vers 1980.

6

Robert Munsch

L'HISTOIRE D'UN CONTEUR

Même le plus célèbre des auteurs de livres pour enfants n'est pas né écrivain. Robert Norman Munsch a vu le jour à Pittsburgh, en Pennsylvanie, dans une famille de neuf enfants. Il n'avait pas de très bons résultats à l'école et il tient à souligner qu'il n'a jamais appris à maîtriser l'orthographe. N'empêche qu'il a toujours aimé écrire de la poésie, surtout des poèmes farfelus.

À l'adolescence, les choses se sont quelque peu détériorées. À l'école secondaire, il ne s'entendait avec personne et passait la majeure partie de son temps à lire des livres. Il était particulièrement intéressé par la Bible. Après avoir obtenu son diplôme d'études secondaires, il a donc décidé d'étudier pour devenir prêtre catholique.

Bien emmitouflé, le jeune Robert Munsch cherche l'inspiration pour une nouvelle histoire.

Bob au début de sa carrière d'écrivain. Malgré son succès international, il n'avait jamais songé à devenir écrivain.

7

Après sept ans d'études de théologie, Bob a compris qu'il n'avait pas la vocation. Pendant cette période, il a cependant travaillé dans un orphelinat où il a découvert qu'il adorait la compagnie des enfants. Bob Munsch a donc abandonné ses études de prêtrise et a trouvé un emploi dans une garderie.

Là, il s'est rendu compte que raconter une histoire aux enfants était la meilleure façon de les calmer avant la sieste. Pendant 10 ans, il a raconté des centaines d'histoires de son cru. Entre-temps, il a obtenu un diplôme en pédagogie et rencontré celle qui allait devenir sa femme. Ensemble, ils ont déménagé au Canada, plus précisément à Guelph, en Ontario.

Un jour, à la maternelle de l'Université de Guelph où Bob travaillait, son patron a entendu ses histoires et l'a incité à les mettre par écrit et à les proposer à des maisons d'édition.

Neuf éditeurs ont refusé ses contes. Un éditeur a donné une réponse positive. Les livres *Mud Puddle* et *The Dark* ont été publiés chez Annick Press en 1979. Robert Munsch était devenu un auteur de livres pour enfants.

Michael Martchenko

UN PORTRAIT DE L'ARTISTE

À l'époque où Bob Munsch commençait à écrire ses histoires, l'artiste Michael Martchenko travaillait dans une agence de publicité. Contrairement à Bob, Michael a toujours su comment il voulait gagner sa vie : il voulait dessiner.

Michael a grandi en France, dans une petite ville au nord de Paris. Là-bas, il n'y avait pas beaucoup de bandes dessinées, mais le petit Michael adorait celles sur lesquelles il pouvait mettre la main. C'est d'ailleurs en copiant des bandes dessinées mettant en vedette Bugs Bunny et Daffy Duck qu'il a appris son métier. Il a bientôt commencé à créer des aventures pour ses personnages préférés.

À sept ans, il a déménagé au Canada avec sa mère et sa sœur. Pendant la traversée, se souvient-il, il a un jour eu envie de manger des petits pois. « Je ne parlais pas anglais, dit-il. Alors, j'ai dessiné une cosse de pois et je l'ai montrée au serveur. Ça a été mon premier travail commercial. J'avais à manger grâce au dessin. »

À leur arrivée au Canada, la mère de Michael a cherché du travail et la famille a dû déménager souvent. Dans toutes les écoles qu'il a fréquentées, Michael a été apprécié pour son talent de dessinateur. On lui demandait sans cesse de décorer des affiches pour les pièces de théâtre et les concerts. À l'école secondaire, il avait même sa petite bande dessinée (« pas très brillante », dit-il en riant) dans le journal de l'école.

Après ses études secondaires, Michael a suivi un cours collégial d'arts plastiques, puis il s'est mis à la recherche d'un emploi d'illustrateur. Au début, ça n'a pas été facile – personne n'embauchait d'artistes –, mais il a fini par trouver du travail dans une agence de publicité. Il dessinait les scénarios-maquettes pour les messages publicitaires télévisés. À partir de là, Michael allait suivre une carrière de directeur artistique et de maquettiste dans d'autres agences de publicité et studios d'art. Ses dessins lui permettaient de gagner autre chose que des petits pois, mais il n'avait pas encore commencé à illustrer des livres pour enfants.

L'origine d'une merveilleuse association

Michael travaillait encore à l'agence de publicité quand il a fait la connaissance de Robert Munsch. Bob et les éditeurs d'Annick Press étaient à la recherche d'un artiste. Ils avaient besoin d'un illustrateur pour insuffler la vie aux drôles de personnages de leur conte intitulé *La princesse dans un sac*.

Un soir de 1979, Bob et ses éditeurs ont assisté à une réception où étaient exposées les œuvres des artistes de l'agence de publicité de Michael. « Une fois là, nous avons jeté un coup d'œil, raconte Bob, mais nous n'avons vu que des annonces publicitaires. Cela ne correspondait pas à ce dont nous avions besoin. Nous étions sur le point de sortir quand nous avons vu un tableau cocasse. »

Michael avait donné un coup de main pour accrocher les œuvres en vue de la réception. À la fin, il restait un espace libre, mais il n'y avait plus de dessins publicitaires. Il a alors décidé d'apporter une de ses œuvres. Son dessin représentait un groupe de mouettes, aux pieds en forme de roues, qui atterrissaient comme des avions. C'était plutôt absurde… et c'était exactement ce que Bob et Annick recherchaient.

Ce tableau de Michael Martchenko a attiré l'attention de Robert Munsch et des éditeurs d'Annick Press.

« Ils m'ont demandé si j'aimerais illustrer un livre pour enfants, raconte Michael. Pourquoi pas? ai-je pensé. Ça pourrait être amusant. » Bob et Michael ont donc travaillé en équipe sur le premier – et le plus célèbre – de la trentaine de livres pour enfants qu'ils allaient créer ensemble. *La princesse dans un sac*, un texte dactylographié sur des feuilles de papier, était sur le point d'avoir un visage.

Si la vraie Elizabeth veut bien se lever

Elizabeth à quatre ans, à l'époque où elle et son manteau ont fait leur entrée à la garderie.

Comme les autres histoires de Bob, *La princesse dans un sac* a vu le jour au moment de la sieste, à la garderie où il travaillait. Un jour, à la garderie Bay Area de Coos Bay, en Oregon, Bob venait de raconter une histoire dans laquelle un prince délivrait une princesse prisonnière d'un dragon. « Pourquoi n'est-ce jamais la princesse qui sauve le prince, Bob? » lui a demandé sa femme, qui avait écouté. Bonne question, a pensé Bob. Il a donc décidé d'imaginer une histoire dans laquelle la princesse jouerait ce rôle.

Bob aime bien donner à ses personnages les noms des enfants qu'il rencontre. *La princesse dans un sac* n'a pas fait exception à la règle. Comme toutes ses histoires, celle-ci a été racontée d'innombrables fois au fil des ans. Chaque fois que Bob la racontait, il la modifiait un peu afin de l'améliorer. Et chaque fois, il utilisait le nom d'une fillette présente.

Peu de temps avant que cette histoire devienne un livre, Bob travaillait à la maternelle du département d'études familiales de l'Université de Guelph, en Ontario, au Canada.

C'est là qu'il a rencontré une petite fille appelée Elizabeth Moziar. « La première fois qu'elle est venue à la garderie, se souvient Bob, elle a laissé tomber son manteau sur le sol et elle a attendu que j'aille le suspendre. « Tu parles! me suis-je dit. Cette enfant se prend pour une princesse. » Quand il a écrit l'histoire de la princesse pour Annick Press, il a décidé de garder le nom d'Élisabeth.

La véritable Elizabeth n'en savait rien. Elle avait sept ans à la première publication du livre, en 1980. Le livre *La princesse dans un sac* est arrivé par la poste avec une lettre de Bob. « Je me souviens que ma mère a déposé le paquet sur la planche à repasser et m'a lu la lettre. »

Dear Elizabeth

Here is a story that I used your name for. I hope you like it. I wanted to have princess Elizabeth punch Ronald nose at the my publisher me do that you are fine have just a baby named I still tea The preschoo are you?

Bob

[Traduction]
Chère Elizabeth,
    Voici un exemplaire du livre dans lequel j'ai utilisé ton nom. J'espère que tu l'aimeras. Je voulais qu'à la fin de l'histoire, la princesse Élisabeth donne un coup de poing sur le nez d'Alphonse, mais mon éditeur ne me l'a pas permis. J'espère que tu vas bien. Nous venons d'adopter un bébé qui s'appelle Andrew. J'enseigne toujours à la maternelle. Comment vas-tu?
    Bob

Elizabeth avait sept ans quand elle a reçu cette lettre de Robert Munsch.

Le jour de son mariage, Elizabeth pose avec Fergie, le chien de ses parents.

Elizabeth

« Je n'avais que sept ans et je ne comprenais pas tout à fait ce que cela voulait dire, mais je n'ai jamais oublié ce moment. » Elle était loin de se douter qu'Élisabeth dans un sac deviendrait une princesse de conte presque aussi célèbre que Cendrillon et la Belle au Bois dormant.

« Je trouve fascinant que le livre ait été lu par tant de personnes, dit Elizabeth, maintenant adulte. Il est même étudié dans des cours de littérature féministe! Mes propres enfants sont encore trop jeunes, mais j'ai hâte de lire avec eux tous les livres de Bob. »

Aujourd'hui, Elizabeth est mariée et mère de deux enfants, un garçon et une fille. Elle enseigne le français à Guelph et a gardé le contact avec Robert Munsch.

Du sac au livre

LA FABRICATION DES LIVRES POUR ENFANTS

Fabriquer un album illustré est moins facile que ça en a l'air. En 1980, la plupart des éditeurs n'avaient pas encore commencé à se servir d'ordinateurs, et c'était encore plus compliqué. Même avec l'ordinateur, un livre pour enfants doit passer par plusieurs étapes avant d'arriver jusqu'à toi. Voici comment les choses se déroulent habituellement :

1. Écrire son idée : Tout d'abord, un auteur imagine une histoire et l'écrit sur des feuilles de papier. La plupart des auteurs écrivent leur histoire plusieurs fois avant de laisser quelqu'un la lire. Chaque fois, ils l'améliorent en modifiant de petits détails ici et là. Bob, lui, fait ces changements en racontant l'histoire plutôt qu'en l'écrivant. En fait, il n'écrit son histoire qu'après l'avoir racontée d'innombrables fois à des groupes d'enfants. « Je suis avant tout un conteur, dit-il. L'écriture vient en second lieu. Les histoires changent avec le temps. Certains passages passionnent les enfants tandis que d'autres les ennuient. Je me base sur leurs réactions pour apporter les changements. » C'est seulement à ce moment-là qu'il passe à l'écriture. Cette copie sur papier s'appelle un manuscrit et elle n'a pas d'illustrations.

2. Chercher un éditeur : Une fois qu'il est satisfait de son histoire, l'auteur fait lire son manuscrit à un éditeur. L'éditeur travaille pour l'entreprise qui va décider quelles histoires deviendront des livres. L'éditeur et l'auteur collaborent pour trouver des façons de rendre l'histoire encore meilleure. L'auteur la réécrit jusqu'à ce qu'elle soit exactement ce qu'elle doit être. Toutes ces discussions et ces réécritures s'appellent la révision.

3. Trouver l'illustrateur : Quand l'histoire est bien au point, l'éditeur trouve un artiste pour dessiner les illustrations. L'illustrateur commence par faire des dessins en noir et blanc, qui s'appellent des croquis. Il discute avec l'éditeur et l'auteur. Ensemble, ils choisissent les croquis qui conviennent le mieux à l'histoire. L'illustrateur fait alors des peintures en couleurs à partir de ses croquis.

4. Mettre en page : Quand l'écriture et les illustrations sont achevées, le moment est venu de les assembler. Le maquettiste est la personne qui agence soigneusement le texte et les images pour les présenter sur les pages du livre et sur la couverture. Pour faire ce travail, on avait l'habitude de découper le texte et les illustrations et de les coller sur de grands panneaux qui étaient ensuite photographiés. Aujourd'hui, on se sert plutôt de scanneurs et d'ordinateurs.

5. Imprimer au plus vite : On approche de la fin! Il ne reste plus qu'à transformer ces photos ou ces dossiers d'ordinateur en vrais livres. Ce travail se fait dans une imprimerie à l'aide d'une grosse machine appelée presse typographique qui presse de l'encre de couleur sur de grandes feuilles de papier. D'autres machines sont utilisées pour couper, plier et relier ces feuilles afin d'en faire un livre avec une couverture. En une heure, une presse typographique moderne peut imprimer jusqu'à 176 000 pages en couleurs – presque 50 pages par seconde!

6. Entreposer : Une fois les livres imprimés, l'imprimeur les range dans des caisses et les envoie à l'entrepôt de l'éditeur – un gros édifice où tous les livres sont gardés. L'éditeur fait ensuite parvenir des caisses de livres aux librairies et aux bibliothèques de tout le pays.

7. La fin d'une histoire : Les employés de la librairie ou de la bibliothèque déballent les livres et les posent sur des étagères où ils attendent d'être choisis et lus par quelqu'un comme toi.

17

Des images pour la princesse

ILLUSTRER *LA PRINCESSE DANS UN SAC*

Michael Martchenko avait l'habitude de raconter des histoires en images. Depuis les bandes dessinées de son enfance jusqu'aux scénarios-maquettes qu'il dessinait dans le cadre de son travail, Michael avait appris plusieurs façons de transmettre l'information à l'aide d'images. En acceptant d'illustrer *La princesse dans un sac*, il n'avait aucune inquiétude, même si c'était la première fois qu'il travaillait sur un album destiné aux enfants.

Une chose le contrariait pourtant : ce n'était qu'une autre histoire de princesse. Puis les éditeurs lui ont remis le manuscrit. « Ils m'ont dit que c'était l'histoire d'un prince, d'une princesse et d'un dragon, raconte Michael. Seigneur! ai-je pensé. Ce n'est pas très original. Puis je l'ai lue et j'ai changé d'avis. » L'intérêt alors en éveil, Michael s'est mis bientôt au travail pour donner vie à l'histoire.

UNE COPIE DU MANUSCRIT UTILISÉ PAR MICHAEL POUR CRÉER LES ILLUSTRATIONS

Tu peux voir comment il a divisé l'histoire pour indiquer les pages où les mots devaient apparaître. Michael utilise encore cette méthode pour décider de quels mots il va mettre en images. « Je regarde le manuscrit et j'imagine ce qui peut aller ensemble, quel dessin je peux en tirer. » Les décisions de Michael font ensuite l'objet de discussions avec l'éditeur. Quand des images sont ajoutées, il devient parfois nécessaire de changer certains mots pour les adapter aux images. D'autres mots peuvent se révéler superflus et sont alors retirés. Mais les mots ne sont pas les seules choses qui changent en cours de travail.

PAPER BAGS AND PRINCES
~~ELIZABETH & DRAGON~~

Copyright Robert N. Munsch

① When Elizabeth was a very beautiful princess she lived in a castle and had expensive princess clothes. She was going to marry a prince named Ronald.

② Unfortunately, a dragon smashed her castle, burned all her clothes with its fiery breath and carroed off Prince Ronald.

③ Elizabeth decided to chase the dragon and get Ronald back. She looked all over for something to wear and the only thing she could find that was not burnt was a paper bag. So she put on the paper bag and followed the dragon. The dragon was easy to follow because it left a trail of burnt forests and horse's teeth.

④ Finally, Elizabeth came to a cave with a large door that had a huge knocker on it. She took hold of the knocker and banged on the door. The dragon stuck its nose out of the door and said, "Go away. I have already eaten two kindergartens and a hospital and I still have a prince to eat. Come back and I will eat you tomorrow." It slammed the door so fast that Elizabeth almost got her nose caught.

⑤ Elizabeth grabbed hold of the knocker and banged on the door again. The dragon stuck its nose out the door and said, "Go away. I have already eaten two kindergartens and a hospital and I still have a prince to eat. Come back and I will eat you tomorrow." "Wait," shouted Elizabeth. "Is it true that lyou are the smartest and fiercest dragon in the whole world?" "Yes!" said the dragon.

⑥ "Is it true," said Elibabeth, "that you can burn up ten forests with your fiery breath?" "Oh, yes," said the dragon and it took a huge, deep breath andssbreathed out so much fire that it burnt up fifty forests.

Après que le dragon avait brûlé les vêtements d'Élisabeth, il fallait trouver un moyen de la dessiner sans la montrer nue. Dans la première esquisse de Michael, Élisabeth avait l'air d'une femme des cavernes. Dans l'illustration définitive, Michael a entouré la princesse d'un nuage de poussière afin de sauvegarder sa dignité.

20

Les mots et les images changent parfois au cours du travail de création. Dans une première version du manuscrit de Bob, Élisabeth tente de réveiller le dragon en hurlant et en sautant à pieds joints sur sa tête, tel qu'on le voit sur ce croquis. Mais on commençait à manquer de pages pouvant être illustrées, et Michael a décidé de combiner dans le même dessin le dragon endormi et le prince Alphonse appelant à l'aide.

21

22

La fin de *La princesse dans un sac* est désormais connue dans le monde entier : le prince hautain trouve la tenue d'Élisabeth négligée et refuse d'être sauvé par elle. Dans l'histoire initiale, comme on le voit sur le croquis, Élisabeth frappe le prince pour s'être montré aussi grossier et ingrat. Mais il n'est pas convenable de frapper les gens – même les princes arrogants qui le mériteraient peut-être. Bob et ses éditeurs ont alors décidé de supprimer ce passage. Élisabeth choisit plutôt de rabrouer le soi-disant prince et de le planter là, prouvant ainsi que c'est par la conduite de quelqu'un et non par son apparence qu'on reconnaît sa véritable noblesse.

CROQUIS D'ÉLISABETH
MARCHANT VERS LE
SOLEIL COUCHANT

La dernière image de *La princesse dans un sac* est également célèbre. On y voit Élisabeth qui gambade allègrement vers le soleil couchant. Au départ, Michael avait imaginé Élisabeth envoyant promener sa robe de papier, comme on le voit ici. L'image était amusante et montrait la nouvelle liberté de la princesse… mais elle montrait aussi autre chose. Dans le dessin qui a finalement été choisi, Élisabeth sautille, toujours vêtue de sa robe de papier. Cette illustration allait devenir le logo d'Annick Press.

Voici maintenant l'histoire d'Élisabeth…

La princesse dans un sac

Robert Munsch   Michael Martchenko

Élisabeth était une magnifique princesse.
Elle vivait dans un château et elle portait des
robes de princesse qui coûtaient très, très cher.

Elle allait épouser un prince qui s'appelait
Alphonse.

Mais un jour, malheur! Un dragon passe et détruit son château, brûle tous ses vêtements de son souffle puissant et enlève le prince Alphonse.

Élisabeth part aussitôt à la poursuite du dragon pour ramener Alphonse.

Elle cherche désespérément de quoi se vêtir, mais tout a brûlé. La seule chose épargnée par le feu, c'est un sac de papier.

Alors, elle enfile le sac et suit les traces du dragon.

Très facile à suivre, ce dragon! Il a laissé derrière lui un sillage d'arbres calcinés et d'ossements de chevaux.

Élisabeth arrive enfin devant la porte
d'une caverne.

Sur la porte, un énorme heurtoir.

Elle frappe.

Le dragon sort le museau.

— C'est une princesse que voilà! dit-il.
J'aimerais bien manger une princesse, mais j'ai
déjà avalé un château entier! Je suis un dragon
très occupé. Revenez demain.

Il referme vivement la porte, au risque d'y
coincer le nez d'Élisabeth.

Élisabeth empoigne le heurtoir et frappe à la porte encore une fois.

Le dragon montre le museau.

— Allez-vous-en! dit-il. J'adore croquer les princesses mais j'ai déjà avalé un château entier. Je suis un dragon très occupé. Revenez demain.

— Un instant! crie Élisabeth. Est-il vrai que, de tous les dragons du monde, vous êtes le plus intelligent et le plus féroce?

— Oui, répond le dragon.

— Est-ce vrai que vous pouvez brûler dix forêts d'un seul coup de votre souffle brûlant?

— Bien sûr, dit le dragon.

Il prend une gigantesque inspiration et souffle tant de feu qu'il brûle cinquante forêts d'un coup.

— Merveilleux! dit Élisabeth.

Le dragon prend une autre inspiration tout aussi gigantesque et souffle tant de feu qu'il brûle cent forêts d'un coup.

— Extraordinaire, dit Élisabeth.

Le dragon inspire encore majestueusement, mais il ne sort même pas assez de feu de sa gueule pour faire cuire une petite côtelette.

— Dragon, dit Élisabeth, est-ce vrai que vous pouvez faire le tour du monde en dix secondes exactement?

— Eh bien, oui! répond le dragon.

Il bondit dans les airs et fait le tour du monde en dix secondes exactement. Il en revient très fatigué.

— Fabuleux! Faites-le encore une fois! crie Élisabeth.

Le dragon bondit de nouveau dans les airs et fait le tour du monde en vingt secondes.

Il en revient extrêmement fatigué. Il ne peut même plus parler et s'en va aussitôt se coucher.

— Dragon? murmure doucement Élisabeth.

Le dragon ne bouge pas d'un poil.

Elle soulève l'oreille du dragon et glisse sa tête à l'intérieur.

— Dragon? crie-t-elle aussi fort qu'elle le peut.

Le dragon est tellement épuisé qu'il ne remue même pas le bout de la queue.

Élisabeth enjambe le dragon et ouvre la porte de la caverne. Le prince Alphonse est devant elle.

— Élisabeth, dit-il en la dévisageant, tu es affreuse! Tu sens le feu, tu as les cheveux comme une vieille crinière et tu as un sac de papier sur le dos! Tu reviendras quand tu auras l'air d'une princesse!

— Alphonse, fait Élisabeth, tu as de bien beaux vêtements et des cheveux bien coiffés. Tu as l'air d'un vrai prince, mais tu n'es qu'un bon à rien.

Et ils ne se sont jamais mariés.

Et ils vécurent heureux...

L'HISTOIRE D'UN SUCCÈS

À l'automne 1980, *La princesse dans un sac* fait son entrée dans les librairies. Le *Globe and Mail*, journal national du Canada, manifeste aussitôt son enthousiasme. « *La princesse dans un sac* est un ouvrage spirituel, vibrant et original. » Un autre critique renchérit : « J'adore voir la princesse jouer finalement le rôle du héros. » Mais les critiques ne sont pas toutes aussi élogieuses. Dans un magazine, on prédit que le livre sera vite relégué aux oubliettes, parce que c'est un « album illustré rempli de clichés ». Comment les lecteurs vont-ils réagir?

50

Trois ans après sa parution, on avait vendu 5000 exemplaires du livre.

À ce jour, on en a vendu plus de 3 000 000 d'exemplaires.

Trois ans après sa parution, on avait vendu 5000 exemplaires du livre. Celui-ci était officiellement devenu un best-seller, et les ventes se maintenaient. Les enfants adoraient l'histoire tandis que les parents, les enseignants et les bibliothécaires appréciaient le message qu'il contenait. Une journaliste du *New York Times* a avoué : « Je refile des exemplaires du livre à mes sœurs et à mes amies comme si c'était un pamphlet subversif. » Selon Bob, la raison qui explique la popularité universelle du conte est simple. « Cette histoire a du succès parce qu'elle est vraie, dit-il. Il n'y a pas de princes, mais il y a plein de malotrus, et personne n'a envie de les épouser. »

Vingt-cinq ans plus tard, la princesse Élisabeth continue d'être une source d'inspiration pour les lecteurs. À ce jour, le livre a été réimprimé 52 fois, on en a vendu plus de trois millions d'exemplaires et il a été apprécié par une foule de lecteurs. L'histoire a traversé les générations – des gens qui l'ont aimée dans leur enfance la lisent maintenant à leurs propres enfants – et elle a fait le tour du monde. Pas mal pour une fillette vêtue d'une simple robe de papier.

Des personnes qui ont aimé le livre dans leur enfance le lisent maintenant à leurs propres enfants.

Le tour du monde en seulement 10 secondes

LA PRINCESSE VOYAGE DANS LE MONDE ENTIER

Élisabeth me réchauffe le cœur. J'avais presque perdu espoir, quand elle est apparue, joyeuse, intrépide, sûre d'elle, faisant confiance à son instinct et à son intelligence comme si cela allait de soi… comme cela doit être!

Je l'ai donc fait vivre sur scène – elle parlait hébreu, arabe et anglais.

—lindi g. papoff
Metteur en scène, Haïfa, Israël

P.-S. Comment se fait-il que tout brûle dans la forêt sauf son sac de papier?

D'accord, la princesse a peut-être mis plus de 10 secondes pour le faire (seuls les dragons sont aussi rapides), mais, au cours des 25 dernières années, elle a vraiment voyagé partout dans le monde. L'histoire a été traduite en plus de 12 langues et elle continue d'être une source d'inspiration pour des lecteurs du monde entier.

종이 봉지 공주

Aux lecteurs de *La princesse dans un sac* :
Soyez forts et ne doutez jamais de vous! À notre façon, nous sommes tous uniques en notre genre.

—Avril Lavigne
Auteure-compositrice et interprète, récipiendaire d'un Grammy et de nombreux disques de platine, Napanee, Canada

52

Թուղթէ Տոպրակով Իշխանուհին

Anglais

The Paper Bag Princess

Robert Munsch
Illustrated by Michael Martchenko

Japonais

紙ぶくろの王女さま

ロバート・マンチ 文 / マイケル・マーチェンコ 絵 / 加島 葵訳

Espagnol

La princesa vestida con una bolsa de papel

Robert N. Munsch • Michael Martchenko

Élisabeth n'était pas à l'avant-garde, mais elle est arrivée juste à temps. Tous ceux qui recherchent un modèle fort et intelligent le trouveront chez notre courageuse héroïne. Mes étudiants et moi avons été enchantés par la façon dont la jeune princesse traite les dragons enquiquineurs et la monarchie arrogante. Respect de soi et confiance en soi : voici les cadeaux qu'Élisabeth offre à ses lecteurs, filles et garçons. Les Alphonse sont toutefois prévenus : cette histoire n'est pas pour eux.

—Christopher Garcia
ÉDUCATEUR DE LA PETITE ENFANCE, EL PASO, TEXAS

Allemand

DIE TÜTEN-PRINZESSIN
RobertMunsch/HelgeNyncke

De prinses in de papieren zak

Néerlandais

Prinses Papierzak

Flamand

Chinois

紙袋公主

Y DYWYSOGES SACH DATWS

cyfaddasiad gan Ian Llwyd
stori gan Robert Munsch
lluniau gan Michael Martchenko

Gallois

En tant que travailleuse sociale spécialisée dans les services à la famille, je travaillais avec des jeunes couples dans l'attente de leur premier enfant. Les valeurs exprimées par ce livre ont reçu leur totale approbation. La princesse est arrivée en même temps que l'égalité des droits, montrant que le respect de soi et le courage de défendre ses convictions importent plus que l'apparence.

—Hilde Becker
TRAVAILLEUSE SOCIALE
BERLIN, ALLEMAGNE

Les retombées d'un livre à succès

LES PRODUITS DÉRIVÉS DE LA PRINCESSE

Elizabeth:

Dragon:

Elizabeth:

Dragon:

Actor #3: Th... the Dragon took a...
b...shed out, there wa...
...ts.

...n does his fiery...

Elizabeth: ...stic.

Actor #3: ...ragon to...
...at he b...
...uc... ...es his...
Again ...

Elizabeth: Mag-nificent.
Then the Drag...
came out. The...
marshmallow.

Actor #... *Again the bre...*

Elizabeth: *(stifling a giggle)* Dragon, is i...
world, in just ten seconds.

Dragon: Oh ya, anytime. When I say go, you can count the seconds.
Ready?..........Go!

Elizabeth mimes counting as Dragon runs around. He returns a the counting stops.

(breathing heavily) I'm a bit tired, but I did it.

Dragon: That was just fantastic. Do it again.

54

Après le succès du livre, d'autres artistes ont eu envie de raconter différemment une aussi belle histoire que celle de *La princesse dans un sac*. Si Bob avait déjà transformé cette histoire racontée à voix haute en un livre illustré, d'autres pouvaient essayer à leur tour, pourquoi pas? Annick et Bob ont donc autorisé certaines compagnies à raconter l'histoire à leur façon, des façons amusantes et intéressantes. Les aventures de la princesse Élisabeth ont bientôt été jouées par des comédiens, des marionnettes et même en dessins animés.

Ci-dessus : Photos de *La princesse dans un sac*, comédie musicale produite par la compagnie de danse The Blue Collar.
À l'arrière-plan : Une page du scénario de *Munsch Alley*.

Ci-dessus et à droite : Différentes représentations de *La princesse dans un sac* par le Touring Players Theatre. Joel Kaiser, auteur et metteur en scène de *Munsch Alley*, se souvient du premier spectacle de la troupe : « Quand l'actrice qui incarnait Élisabeth a bondi des coulisses en sous-vêtements, les enfants du public ont réagi avec une telle fougue qu'ils ont failli la faire tomber de la scène. »

Ci-dessous : *Puppet Munsch*, un spectacle de marionnettes sans fil présenté par la troupe du Prairie Theatre Exchange.

D'AUTRES PRODUITS DÉRIVÉS DE LA PRINCESSE DANS UN SAC

Avec toutes les versions de l'histoire qui ont été créées, une foule de princesses ont vu le jour. La forme la plus populaire de *La princesse dans un sac* reste toujours le livre, mais il est amusant de voir tous les ouvrages où Élisabeth a surgi.

- ★ Mini-livres (Annikin)
- ★ **Audiocassettes sur lesquelles Bob raconte lui-même l'histoire**
- ★ Dessin animé disponible sur vidéo et DVD
- ★ Trousse pour raconter l'histoire avec les personnages en peluche et le décor
- ★ Poupée Élisabeth dans sa robe de papier

As-tu déjà lu un livre en n'utilisant que tes doigts? C'est ce que les malvoyants font tout le temps quand ils veulent lire. Un alphabet particulier, appelé braille, raconte l'histoire au moyen d'un système de points saillants plutôt qu'avec des lettres imprimées. Mais que fait-on pour les images? C'est pour répondre à ce besoin que les livres tactiles ont été inventés. Ces livres particuliers utilisent des versions des images en trois dimensions qui permettent aux personnes malvoyantes de sentir la forme de chacune des scènes. (C'est seulement dans ce cas que tu peux toucher un dragon.)

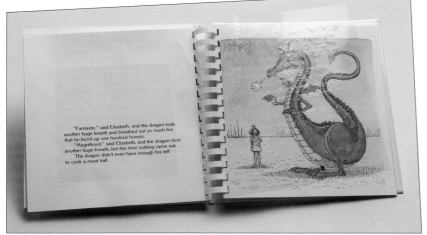

Une édition en braille de *La princesse dans un sac*. La version en points saillants se trouve sur une feuille de plastique transparent posée sur la page imprimée. De cette façon, les lecteurs voyants peuvent également partager l'histoire.

Une édition tactile de *La princesse dans un sac*. Les formes et les textures sont conçues de façon à s'adapter aux illustrations originales. Les livres tactiles comprennent aussi l'histoire écrite en braille.

Sortir du sac
APPARITIONS SURPRISES D'ÉLISABETH

En 2005, un jeune homme appelé Robert, qui voulait demander sa petite amie Miriam en mariage, a communiqué avec Michael Martchenko. Miriam aimait tellement *La princesse dans un sac* que Michael a accepté de créer cette image. Robert l'a exposée dans une galerie d'art et a emmené Miriam la voir. Elle a dit oui (et ne l'a pas traité de bon à rien).

[Traduction] La princesse dans un sac attend l'homme de sa vie. Plus tard, elle rencontre le prince Robert, son âme sœur, qui lui demande sa main.

Chaque hiver, Michael envoie à sa famille, à ses amis et à ses collègues de travail les cartes de Noël qu'il a créées. Il a dessiné cette scène amusante à l'occasion de la saison des fêtes en hiver 2001.

Janet T. Planet, graphiste, dessinatrice de mode, ingénieure en mécanique et directrice artistique très connue de Los Angeles, s'est fait tatouer la princesse sur le ventre. « Méfions-nous des dragons et des princes arrogants et sachons que, parfois, il vaut mieux être indépendante et toute seule! Cette idée m'inspirait. J'ai ce tatouage depuis maintenant 10 ans et Élisabeth me transmet chaque jour sa sagesse! »

En novembre 2000, la série télévisée *Life and Times* a diffusé une biographie de Robert Munsch. Les réalisateurs ont demandé à Michael Martchenko de dessiner quelques caricatures de Bob d'après ses livres. Celle-ci est inspirée de *La princesse dans un sac*.

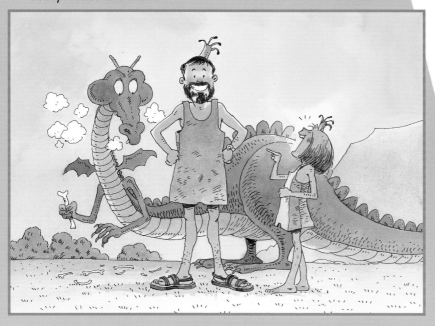

La princesse dans un sac est présente dans les bibliothèques de toute l'Amérique du Nord. Elle reçoit ici l'attention des élèves de l'école primaire Mountain Park de Roswell, en Géorgie, qui posent devant une affiche géante de la couverture.

59

Cher monsieur Munsch

LES RÉACTIONS DES ENFANTS

I like the dragon. He had to waste his be tired!

[Traduction]
J'aime le dragon. Il a gaspillé tout son feu. Il doit être fatigué!

I like the Paper Bag Princess. part was when th "You are a bum."

[Traduction]
J'aime *La princesse dans un sac.* Le passage le plus drôle, c'est à la fin, quand la princesse dit :
« Tu n'es qu'un bon à rien. »

The dragon fired down the castle. Ronald And went away. But Elizabeth

[Traduction]
Le dragon a mis le feu au château. Puis il a pris le prince Alphonse et s'est enfui. Mais Élisabeth a suivi le dragon.

I like the part where the d... burned all hi... It was so fu...

[Traduction]
J'aime le passage où le dragon épuise son feu. C'était tellement drôle.

Dear Robert Munsch,
you stories are amazing I love The story The paperbag ...
part of ...
the drag...
wold like ...
very ver...
you choos...

[Traduction]
Cher Robert Munsch,
Tes histoires sont géniales. J'aime *La princesse dans un sac*. C'est très drôle. La partie que je préfère, c'est quand le dragon perd tout son feu. J'aimerais que tu écrives l'histoire d'un joueur de soccer très très célèbre. Pourquoi as-tu choisi de faire ce métier?
Amicalement,
Jessica

Dear Robert Munsch
When did you start writing? My Favorite book is the Paper Bag Princess.
favorite ...
nice ...

[Traduction]
Cher Robert Munsch,
Quand as-tu commencé à écrire? Mon livre préféré est *La princesse dans un sac*. Tu es un de mes auteurs favoris. Bonne journée.
Aubrey

BY Aubrey

Ce quart de siècle a certainement été extraordinaire pour *La princesse dans un sac*. Comment se sent-on quand on a participé à la création d'une histoire qui a eu un tel impact sur tant de personnes? « J'éprouve une grande reconnaissance, dit Michael. Grâce à cette petite princesse barbouillée de suie, aux cheveux en broussailles et mal fagotée, j'ai réalisé le rêve de ma vie : travailler à plein temps comme illustrateur de livres pour enfants. »

Quant à Bob, il est toujours impressionné par le pouvoir constant du conte :

« Un sac de papier
Ne dure pas longtemps.
Il brûle ou il s'envole.
Mais le mien a maintenant 25 ans,
Et je pense qu'il est là pour rester. »

Robert Munsch

Michael Martchenko

**Tu as 25 ans, princesse dans un sac!
Bon anniversaire!
Puisses-tu connaître encore
de nombreuses années de bonheur.**

La fin?

63

Références

Page 6 Photo : Paul Orenstein
Page 7 Photo (haut) : gracieuseté de Robert Munsch. Photo (bas) : Chris Bell
Page 9 Photo : gracieuseté de Michael Martchenko
Page 12 Photo : gracieuseté d'Elizabeth
Page 14 Photo : Trina Koster Photography
Page 24 Photo : Pete Paterson
Page 52 Édition arabe : Tamer Institute
Page 53 Édition britannique : Scholastic Children's Books. Édition japonaise : Kawai Shuppan. Édition espagnole : Susaeta Ediciones. Édition allemande : Lappan Verlag. Édition chinoise : Wisdom Cultural Medium, Inc. Édition galloise : Houdmont
Page 54 Comédie musicale *La princesse dans un sac*. Écrite par Joe Slabe, mise en scène par Marilyn Potts. Conception et chorégraphie de Tara Blue. Produite par la compagnie de danse The Blue Collar. Avec Jamie Tognazzini dans le rôle de la princesse Élisabeth, Patrick MacEachern dans le rôle du prince Alphonse et Gerald Matthews dans le rôle du dragon. Photos : gracieuseté de The Blue Collar Dance Company Photos de Trudie Lee Photography
Script : gracieuseté du Touring Players Theatre of Canada.
Page 55
En haut à gauche : *The Paper Bag Princess and Other Stories* (1988). Écrit par Irene Watts, mis en scène et conçu par Joel Kaiser. Produit par le Touring Players Theatre of Canada. Avec Margarita Miniovich dans le rôle de la princesse Élisabeth et Greg Armstrong-Morris dans le rôle du prince Alphonse. Photo : gracieuseté du Touring Players Theatre of Canada.
En haut à droite : *The Magic of Munsch* (1997, Canada). Écrit, mis en scène et conçu par Joel Kaiser. Produit par le Touring Players Theatre of Canada. Avec Kristin Booth dans le rôle de la princesse Élisabeth et Christopher Furlong dans le rôle du prince Alphonse. Photo : gracieuseté du Touring Players Theatre of Canada.
Au centre, à droite (la princesse dans un sac et la princesse en sous-vêtements) :
Munsch Alley (1977, É.-U.). Écrit, mis en scène et conçu par Joel Kaiser. Produit par le Touring Players Theatre of Canada. Avec Shari Berman dans le rôle de la princesse Élisabeth. Photo : gracieuseté du Touring Players Theatre of Canada.
En bas : *Puppet Munsch*. D'après les contes de Robert Munsch. Adapté et mis en scène par Mariam Bernstein. Conception des décors, marionnettes, accessoires et costumes de Shawn Kettner. Fabricants des marionnettes : Crispi Porat et Kristi Friday. Éclairage : Eric Bosse. Régisseuse de plateau : Amanda Smart. Avec Kristi Friday pour la princesse, Jason Neufeld pour le dragon, et Crispi Porat. Produit par le Prairie Theatre Exchange, décembre 2002. Photo et programme : gracieuseté du Prairie Theatre Exchange. Photo de Bruce Monk. Logo « Puppet Munsch » de Tétro Design Inc.
Page 56 Trousse pour raconter l'histoire : Lakeshore Learning Materials. Bande-vidéo : The Cookie Jar Company. Bandes sonores : Moonjin Media Co. Ltd. Poupée princesse Élisabeth, Annikins : Annick Press.
Page 57 À gauche : une version du livre d'images, conçue pour les enfants non-voyants ou atteints de cécité partielle, produite par The Living Paintings Trust, R.-U.
À droite : illustrations tactiles de Marcy Meyer, gracieuseté de Sacramento Braille Transcribers, Inc. Transcription (2000) par Charles Campbell. Reformatage (2005) par Dorothy Johnson. Sacramento Braille Transcribers, Inc. Sacramento, Californie. En un volume. Pages en braille 1-2 et 1-12.
Page 59 Photo : Dave Kelly. Illustration : Debi Embry
Pages 62, 63 et quatrième de couverture, photos : Pete Paterson

Autres livres écrits par Robert Munsch et illustrés par Michael Martchenko

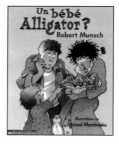